En hommage au lion qui dut rugir longtemps, avant de pouvoir lire sa propre histoire dans un livre.

M. Baltscheit

Parce que très tôt les tout-petits peuvent se familiariser avec les livres, les récits, découvrir le plaisir, l'intérêt de parler et d'agir dans le monde qui les entoure, l'Agence nationale de lutte contre l'illettrisme a choisi de valoriser les initiatives qui mettent les enfants en confiance et les aident à entrer progressivement dans les premiers apprentissages.

Loin des idées reçues sur l'illettrisme, cet album concourt à un objectif majeur, celui de changer le regard que l'on porte sur les personnes qui y sont confrontées, et de rendre possible à tout âge leur accès à la lecture, à l'écriture et aux compétences de base en favorisant le déclic qui leur donne envie d'apprendre.

Marie-Thérèse Geffroy
Directrice de l'Agence nationale de lutte contre l'illettrisme αnlci
www.anlci.gouv.fr

Ce texte de Martin Baltscheit a déjà fait l'objet d'une première publication sous le titre original
"Die Geschichte vom Löwen, der nicht schreiben konnte"
© 2002 Bajazzo Verlag, Zürich

Pour l'édition française :
© 2007, Éditions Glénat BP 177, 38008 GRENOBLE CEDEX, France.
Loi 49956 du 16 juillet 1949 sur les publications destinées à la jeunesse.
Tous droits réservés pour tous pays.
Dépôt légal : septembre 2007
ISBN : 978-2-7234-5868-9
Achevé d'imprimer en Italie en Italie en novembre 2009 par L.E.G.O. S.p.A.

Martin **Baltscheit**

Marc **Boutavant**

L'histoire du Lion qui ne savait pas écrire

Texte français de Bernard Friot

p'titGlénat

Le lion ne savait pas écrire.
Mais ça lui était bien égal,
car il savait rugir et montrer les crocs.

Et pour un lion, c'est bien suffisant.

Un jour, le lion rencontra une lionne. Elle lisait un livre et elle était très belle. Le lion s'approcha pour l'embrasser. Mais il s'arrêta net, et réfléchit. Une lionne qui lit, c'est une dame. Et à une dame, on écrit des lettres. Avant de l'embrasser. Cela, il l'avait appris d'un missionnaire qu'il avait dévoré.

Mais le lion ne savait pas écrire.

Il alla donc trouver le singe et lui dit :
– Écris-moi une lettre pour la lionne !
Le lendemain, le lion alla à la poste avec la lettre. Mais il aurait bien aimé savoir
ce que le singe avait écrit. Alors le lion rebroussa chemin et ordonna au singe de lire la lettre.

Le singe obéit :
" Très chère amie,
voulez-vous grimper
avec moi
dans les arbres ?
J'ai cueilli des bananes.
Miam ! On va se régaler !
Bises, le lion."

– MAIS NOOOOOOOOON ! rugit le lion.
JAMAIS JE N'ÉCRIRAIS UNE CHOSE PAREILLE !
Et le lion déchira la lettre.

Puis le lion descendit vers le fleuve.
L'hippopotame devait lui écrire
une autre lettre.

Le lendemain, le lion alla à la poste avec la lettre. Mais il aurait bien aimé savoir ce que l'hippopotame avait écrit. Il rebroussa chemin et l'hippopotame lut la lettre :

"Très chère amie, voulez-vous patauger avec moi dans le fleuve et brouter des algues ?
Miam ! On va se régaler ! Bises, le lion."
– MAIS NOOOOOOON! rugit le lion. JAMAIS JE N'ÉCRIRAIS UNE CHOSE PAREILLE !

Le soir même, ce fut au tour du bousier. Le brave insecte se donna bien du mal :

il aspergea même la lettre de parfum...

Le lendemain, le lion alla à la poste avec la lettre. En chemin, il croisa la girafe.
– Pouah ! Qu'est-ce qui sent mauvais comme ça ? demanda la girafe.
– La lettre ! répondit le lion. Le bousier l'a parfumée.
– Ah bon, dit la girafe. Je serais curieuse de la lire.

La girafe lut :
" Très chère amie, voulez-vous ramper sous terre avec moi ? J'ai une bonne réserve de bouse. Miam ! On va se régaler ! Bises, le lion."

– MAIS NOOOOOOOOON ! JAMAIS JE N'ÉCRIRAIS UNE CHOSE PAREILLE !
Fou de rage, le lion déchira la lettre et demanda à la girafe d'en écrire une autre.

Le lendemain, le lion alla trouver la girafe pour qu'elle
lui lise la lettre à haute voix. Manque de chance :
le crocodile venait de la croquer. Et la lettre avec !

Le crocodile fut obligé d'écrire lui-même une lettre :
« Très chère amie, il me reste un morceau de girafe pour le dîner. Tu veux le partager avec moi ? Tu verras : on va se régaler ! Bises, le lion. »

– Oh non ! soupira le lion. Jamais je n'écrirais une chose pareille.
Le lion, furieux, déchira la lettre et demanda au vautour d'en écrire une autre.

Et le vautour écrivit :
« Très chère amie, je suis le lion et c'est moi le grand chef ici. Je veux faire ta connaissance ! »
Le lion hocha la tête, satisfait. Oui, c'est exactement ce qu'il aurait écrit.

Le vautour poursuivit :
"Et si on volait au-dessus de la jungle ? J'ai mis quelques cadavres de côté.
Miaaam ! On va se régaler ! Bises, le lion."

– Ça suffit maintenant ! rugit le lion.

Non ! Non ! Non !
Et encore Non !
Nooooooooooooon !

– Je voudrais lui écrire qu'elle est belle ! Je voudrais lui écrire combien j'ai envie de la voir !
Que j'ai juste envie de rester avec elle, allongé tranquillement sous un arbre. Et de regarder
les étoiles dans le ciel ! Ce n'est pourtant pas compliqué !

Et le lion se mit à rugir, à rugir toutes les choses tendres qu'il aurait aimé écrire s'il avait pu.
Mais le lion ne savait pas écrire. Alors il rugit encore et encore.

– Pourquoi n'avez-vous pas écrit vous-même ?

Le lion se retourna :
– Qui a parlé ?

– Moi ! dit la lionne, levant le museau de son livre.
Et le lion aux grandes dents répondit doucement :

– Je n'ai pas écrit, parce que je ne sais pas écrire...

La lionne sourit, donna au lion un petit coup de museau et l'emmena avec elle.

comme
APPRENDRE